Edition : Culturea (culurea.fr), 34 Hérault
Contact : infos@culturea.fr
Impression : BOD, Norderstedt (Allemagne)
ISBN :9791041836581
Date de publication : juillet 2023
Mise en page et maquettage : https://reedsy.com/
Cet ouvrage a été composé avec la police Bauer Bodoni

LA GRANDE BRETÈCHE

Honoré de Balzac

Suite de *Autre étude de femme*

– Ah ! madame, répliqua le docteur, j'ai des histoires terribles dans mon répertoire ; mais chaque récit a son heure dans une conversation, selon ce joli mot rapporté par Chamfort et dit au duc de Fronsac : – Il y a dix bouteilles de vin de Champagne entre ta saillie et le moment où nous sommes.

– Mais il est deux heures du matin, et l'histoire de Rosine nous a préparées, dit la maîtresse de la maison.

– Dites, monsieur Bianchon !... demanda-t-on de tous côtés.

À un geste du complaisant docteur, le silence régna.

– À une centaine de pas environ de Vendôme, sur les bords du Loir, dit-il, il se trouve une vieille maison brune, surmontée de toits très élevés, et si complètement isolée qu'il n'existe à l'entour ni tannerie puante ni méchante auberge, comme vous en voyez aux abords de presque toutes les petites villes. Devant ce logis est un jardin donnant sur la rivière, et où les buis, autrefois ras qui dessinaient les allées, croissent maintenant à leur fantaisie. Quelques saules, nés dans le Loir, ont rapidement poussé comme la haie de clôture, et cachent à demi la maison. Les plantes que nous appelons mauvaises décorent de leur belle végétation le talus de la rive. Les arbres fruitiers, négligés depuis dix ans, ne produisent plus de récolte, et leurs rejetons forment des taillis. Les espaliers ressemblent à des charmilles. Les sentiers, sablés jadis, sont remplis de pourpier ; mais, à vrai dire, il n'y a plus trace de sentier. Du haut de la montagne sur laquelle pendent les ruines du vieux château des ducs de Vendôme, le seul endroit d'où l'œil puisse plonger sur cet enclos, on se dit que, dans un temps qu'il est difficile de déterminer, ce coin de terre fit les délices de quelque gentilhomme occupé de roses, de tulipiers, d'horticulture en un mot, mais surtout gourmand de bons fruits. On aperçoit une tonnelle, ou plutôt les débris d'une tonnelle sous laquelle est encore une table que le temps n'a pas entièrement dévorée. À l'aspect de ce jardin qui n'est plus, les joies négatives de la vie paisible dont on jouit en province se devinent, comme on devine l'existence d'un bon négociant en lisant l'épitaphe de sa tombe. Pour compléter les idées tristes et douces qui saisissent l'âme, un des murs offre un cadran solaire orné de cette inscription bourgeoisement chrétienne : ULTIMAM COGITA ! Les toits de cette maison sont horriblement dégradés, les persiennes sont toujours closes, les balcons sont couverts de nids d'hirondelles, les portes restent constamment fermées. De hautes herbes ont dessiné par des lignes vertes les fentes des perrons, les ferrures sont rouillées. La lune, le soleil, l'hiver, l'été, la neige ont creusé les bois, gauchi les planches, rongé les peintures. Le morne silence qui règne là n'est troublé que par les oiseaux, les chats, les fouines, les rats et les souris libres de trotter, de se battre, de se manger. Une invisible main a partout écrit le mot : *Mystère*. Si, poussé par la curiosité, vous alliez voir cette maison du côté de la rue, vous apercevriez une grande porte de forme ronde par le haut, et à laquelle les enfants du pays ont fait des trous nombreux. J'ai appris plus tard que cette porte était condamnée depuis dix ans. Par ces brèches irrégulières, vous pourriez observer la parfaite harmonie qui existe entre la façade du jardin et la façade de la cour. Le même désordre y règne. Des bouquets d'herbes encadrent les pavés. D'énormes lézardes sillonnent les murs, dont les crêtes noircies sont enlacées par les mille festons de la pariétaire. Les marches du perron sont disloquées, la corde de la cloche est pourrie, les gouttières sont brisées. Quel feu tombé du ciel a passé par là ? Quel tribunal a ordonné de semer du sel sur ce logis ? – Y a-t-on insulté Dieu ? Y a-t-on trahi la France ? Voilà ce qu'on se demande. Les reptiles y rampent sans vous répondre. Cette maison vide et déserte est une immense énigme dont le mot n'est connu de personne. Elle était autrefois un petit fief, et porte le nom de la *Grande Bretèche*. Pendant le temps de son séjour à Vendôme, où Desplein m'avait laissé pour soigner une riche malade, la vue de ce singulier logis devint un de mes plaisirs les plus vifs. N'était-ce pas mieux qu'une ruine ? À une ruine se rattachent quelques souvenirs d'une irréfragable authenticité ; mais cette habitation encore debout quoique lentement démolie par une main vengeresse, renfermait un secret, une pensée inconnue ; elle trahissait un caprice tout au moins. Plus d'une fois, le soir, je me fis aborder à la haie devenue sauvage qui protégeait cet enclos. Je bravais les égratignures, j'entrais dans ce jardin, sans maître, dans cette propriété qui n'était plus ni publique ni particulière ; j'y restais des heures entières à contempler son désordre. Je n'aurais pas voulu, pour prix de l'histoire à laquelle sans doute était dû ce spectacle bizarre, faire une seule question à quelque Vendômois bavard. Là, je composais de délicieux romans, je m'y livrais à de petites débauches de mélancolie qui me ravissaient. Si j'avais connu le motif, peut-être vulgaire, de cet abandon, j'eusse perdu les poésies inédites dont je m'enivrais. Pour moi, cet asile représentait les images les plus variées de la vie humaine, assombrie par ses malheurs : c'était tantôt l'air du cloître, moins les religieux ; tantôt la paix du cimetière, sans les morts qui vous parlent leur langage épitaphique ; aujourd'hui la maison du lépreux, demain celle des Atrides ; mais c'était surtout la province avec ses idées recueillies, avec sa vie de sablier. J'y ai souvent pleuré, je n'y ai jamais ri. Plus d'une fois j'ai ressenti des terreurs involontaires en y entendant, au-dessus de ma tête, le sifflement sourd que rendaient les ailes de quelque ramier pressé. Le sol y est humide ; il faut s'y défier des lézards, des vipères, des grenouilles qui s'y promènent avec la sauvage liberté de la nature ; il faut surtout ne pas craindre le froid, car en quelques instants vous sentez un manteau de glace qui se pose sur vos épaules, comme la main du commandeur sur le cou de don Juan. Un soir j'y ai frissonné : le vent avait fait tourner une vieille girouette rouillée, dont les cris ressemblèrent à un gémissement poussé par la maison au moment où j'achevais un drame assez noir par lequel je m'expliquais cette espèce de douleur monumentalisée. Je revins à mon auberge, en proie à des idées sombres.

Quand j'eus soupé, l'hôtesse entra d'un air de mystère dans ma chambre, et me dit :

– Monsieur, voici monsieur Regnault. –

Qu'est monsieur Regnault ?

– Comment, monsieur ne connaît pas monsieur Regnault ? Ah ! c'est drôle ! dit-elle en s'en allant.

Tout à coup je vis apparaître un homme long, fluet, vêtu de noir, tenant son chapeau à la main, et qui se présenta comme un bélier prêt à fondre sur son rival, en me montrant un front fuyant, une petite tête pointue, et une face pâle, assez semblable à un verre d'eau sale. Vous eussiez dit de l'huissier d'un ministre. Cet inconnu portait un vieil habit, très usé sur les plis ; mais il avait un diamant au jabot de sa chemise et des boucles d'or à ses oreilles.

– Monsieur, à qui ai-je l'honneur de parler ? lui dis-je.

Il s'assit sur une chaise, se mit devant mon feu, posa son chapeau sur ma table, et me répondit en se frottant les mains :

– Ah ! il fait bien froid. Monsieur, je suis monsieur Regnault. Je m'inclinai, en me disant à moi-même :

– *Il bondo cani !* Cherche.

– Je suis, reprit-il, notaire à Vendôme.

– J'en suis ravi, monsieur, m'écriai-je, mais je ne suis point en mesure de tester, pour des raisons à moi connues.

– Petit moment, reprit-il, en levant la main comme pour m'imposer silence. Permettez, monsieur, permettez ! J'ai appris que vous alliez vous promener quelquefois dans le jardin de la Grande Bretèche.

– Oui, monsieur.

– Petit moment! dit-il en répétant son geste, cette action constitue un véritable délit. Monsieur, je viens, au nom et comme exécuteur testamentaire de feu madame la comtesse de Merret, vous prier de discontinuer vos visites. Petit moment ! Je ne suis pas un Turc et ne veux point vous en faire un crime. D'ailleurs, bien permis à vous d'ignorer les circonstances qui m'obligent à laisser tomber en ruines le plus bel hôtel de Vendôme. Cependant, monsieur, vous paraissez avoir de l'instruction, et devez savoir que les lois défendent, sous des peines graves, d'envahir une propriété close. Une haie vaut un mur. Mais l'état dans lequel la maison se trouve peut servir d'excuse à votre curiosité. Je ne demanderais pas mieux que de vous laisser libre d'aller et venir dans cette maison ; mais, chargé d'exécuter les volontés de la testatrice, j'ai l'honneur, monsieur, de vous prier de ne plus entrer dans le jardin. Moi-même, monsieur, depuis l'ouverture du testament, je n'ai pas mis le pied dans cette maison, qui dépend, comme j'ai eu l'honneur de vous le dire, de la succession de madame de Merret. Nous en avons seulement constaté les portes et fenêtres, afin d'asseoir les impôts que je paye annuellement sur des fonds à ce destinés par feu madame la comtesse. Ah ! mon cher monsieur, son testament a fait bien du bruit dans Vendôme ! Là, il s'arrêta pour se moucher, le digne homme ! Je respectai sa loquacité, comprenant à merveille que la succession de madame de Merret était l'événement le plus important de sa vie, toute sa réputation, sa gloire, sa Restauration. Il me fallait dire adieu à mes belles rêveries, à mes romans ; je ne fus donc pas rebelle au plaisir d'apprendre la vérité d'une manière officielle.

– Monsieur, lui dis-je, serait-il indiscret de vous demander les raisons de cette bizarrerie ?

À ces mots, un air qui exprimait tout le plaisir que ressentent les hommes habitués à monter sur le *dada*, passa sur la figure du notaire. Il releva le col de sa chemise avec une sorte de fatuité, tira sa tabatière, l'ouvrit, m'offrit du tabac ; et, sur mon refus, il en saisit une forte pincée. Il était heureux ! Un homme qui n'a pas de dada ignore tout le parti que l'on peut tirer de la vie. Un dada est le milieu précis entre la passion et la monomanie. En ce moment, je compris cette jolie expression de Sterne dans toute son étendue, et j'eus une complète idée de la joie avec laquelle l'oncle Tobie enfourchait, Trim aidant, son cheval de bataille.

– Monsieur, me dit monsieur Regnault, j'ai été premier clerc de maître Roguin, à Paris. Excellente étude, dont vous avez peut-être entendu parler ? Non ! cependant une malheureuse faillite l'a rendu célèbre. N'ayant pas assez de fortune pour traiter à Paris, au prix où les charges montèrent en 1816, je vins ici acquérir l'Étude de mon prédécesseur. J'avais des parents à Vendôme, entre autres une tante fort riche, qui m'a donné sa fille en mariage. –

Monsieur, reprit-il après une légère pause, trois mois après avoir été agréé par Monseigneur le Garde-des-Sceaux, je fus mandé un soir, au moment où j'allais me coucher (je n'étais pas encore marié), par madame la comtesse de Merret, en son château de Merret. Sa femme de chambre, une brave fille qui sert aujourd'hui dans cette hôtellerie, était à ma porte avec la calèche de madame la comtesse. Ah ! petit moment ! Il faut vous dire, monsieur, que monsieur le comte de Merret était allé mourir à Paris deux mois avant que je vinsse ici. Il y périt misérablement en se livrant à des excès de tous les genres. Vous comprenez ? Le jour de son départ, madame la comtesse avait quitté la Grande Bretèche et l'avait démeublée. Quelques personnes prétendent même qu'elle a brûlé les meubles, les tapisseries, enfin toutes les choses généralement quelconques qui garnissaient les lieux présentement loués par ledit sieur... (Tiens, qu'est-ce que je dis donc ? Pardon, je croyais dicter un bail.) Qu'elle les brûla, reprit-il, dans la prairie de Merret. Êtes-vous allé à Merret, monsieur ? Non, dit-il en faisant lui-même ma réponse. Ah ! c'est un fort bel endroit ! Depuis trois mois environ, dit-il en continuant après un petit hochement de tête, monsieur le comte et madame la comtesse avaient vécu singulièrement ; ils ne recevaient plus personne, madame habitait le rez-de-chaussée, et monsieur le premier étage. Quand madame la comtesse resta seule, elle ne se montra plus qu'à l'église. Plus tard, chez elle à son château, elle refusa de voir les amis et amies qui vinrent lui faire des visites. Elle était déjà très changée au moment où elle quitta la Grande Bretèche pour aller à Merret. Cette chère femme-là... (je dis chère, parce que ce diamant me vient d'elle, je ne l'ai vue, d'ailleurs, qu'une seule fois !) Donc, cette bonne dame était très malade ; elle avait sans doute désespéré de sa santé, car elle est morte sans vouloir appeler de médecins ; aussi, beaucoup de nos dames ont-elles pensé qu'elle ne jouissait pas de toute sa tête. Monsieur, ma curiosité fut donc singulièrement excitée en apprenant que madame de Merret avait besoin de mon ministère. Je n'étais pas le seul qui s'intéressât à cette histoire. Le soir même, quoiqu'il fût tard, toute la ville sut que j'allais à Merret. La femme de chambre répondit assez vaguement aux questions que je lui fis en chemin ; néanmoins, elle me dit que sa maîtresse avait été administrée par le curé de Merret pendant la journée, et qu'elle paraissait ne pas devoir passer la nuit. J'arrivai sur les onze heures au château. Je montai le grand escalier. Après avoir traversé de grandes pièces hautes et noires, froides et humides en diable, je parvins dans la chambre à coucher d'honneur où était madame la comtesse. D'après les bruits qui couraient sur cette dame (monsieur, je n'en finirais pas si je vous répétais tous les contes qui se sont débités à son égard !), je me la figurais comme une coquette. Imaginez-vous que j'eus beaucoup de peine à la trouver dans le grand lit où elle gisait. Il est vrai que, pour éclairer cette énorme chambre à frises de l'ancien régime, et poudrées de poussière à faire éternuer rien qu'à les voir, elle avait une de ces anciennes lampes d'Argant. Ah ! mais vous n'êtes pas allé à Merret ! Eh ! bien, monsieur, le lit est un de ces lits d'autrefois, avec un ciel élevé, garni d'indienne à ramages. Une petite table de nuit était près du lit, et je vis dessus une *Imitation de Jésus-Christ*, que, par parenthèse, j'ai achetée à ma femme, ainsi que la lampe. Il y avait aussi une grande bergère pour la femme de confiance, et deux chaises. Point de feu, d'ailleurs. Voilà le mobilier. Ça n'aurait pas fait dix lignes dans un inventaire. Ah ! mon cher monsieur, si vous aviez vu, comme je la vis alors, cette vaste chambre tendue en tapisseries brunes, vous vous seriez cru transporté dans une véritable scène de roman. C'était glacial, et mieux que cela, funèbre, ajouta-t-il en levant le bras par un geste théâtral et faisant une pause. À force de regarder, en venant près du lit, je finis par voir madame de Merret, encore grâce à la lueur de la lampe dont la clarté donnait sur les oreillers. Sa figure était jaune comme de la cire, et ressemblait à deux mains jointes. Madame la comtesse avait un bonnet de dentelles qui laissait voir de beaux cheveux, mais blancs comme du fil. Elle était sur son séant, et paraissait s'y tenir avec beaucoup de difficulté. Ses grands yeux noirs, abattus par la fièvre, sans doute, et déjà presque morts, remuaient à peine sous les os où sont les sourcils.

– Ça, dit-il en me montrant l'arcade de ses yeux. Son front était humide. Ses mains décharnées ressemblaient à des os recouverts d'une peau tendre ; ses veines, ses muscles se voyaient parfaitement bien ; elle avait dû être très belle ; mais, en ce moment ! je fus saisi de je ne sais quel sentiment à son aspect. Jamais, au dire de ceux qui l'ont ensevelie, une créature vivante n'avait atteint à sa maigreur sans mourir. Enfin, c'était épouvantable à voir ! Le mal avait si bien rongé cette femme qu'elle n'était plus qu'un fantôme. Ses lèvres d'un violet pâle me parurent immobiles quand elle me parla. Quoique ma profession m'ait familiarisé avec ces spectacles en me conduisant parfois au chevet des mourants pour constater leurs dernières volontés, j'avoue que les familles en larmes et les agonies que j'ai vues n'étaient rien auprès de cette femme solitaire et silencieuse dans ce vaste château. Je n'entendais pas le moindre bruit, je ne voyais pas ce mouvement que la respiration de la malade aurait dû imprimer aux draps qui la couvraient, et je restai tout à fait immobile, occupé à la regarder avec une sorte de stupeur. Il me semble que j'y suis encore. Enfin ses grands yeux se remuèrent, elle essaya de lever sa main droite qui retomba sur le lit, et ces mots sortirent de sa bouche comme un souffle, car sa voix n'était déjà plus une voix. – « Je vous attendais avec bien de l'impatience. » Ses joues se colorèrent vivement. Parler, monsieur, c'était un effort pour elle.

– « Madame », lui dis-je. Elle me fit signe de me taire. En ce moment, la vieille femme de charge se leva et me dit à l'oreille : « Ne parlez pas, madame la comtesse est hors d'état d'entendre le moindre bruit ; et ce que vous lui diriez pourrait l'agiter. »

Je m'assis. Quelques instants après, madame de Merret rassembla tout ce qui lui restait de forces pour mouvoir son bras droit, le mit, non sans des peines infinies, sous son traversin ; elle s'arrêta pendant un petit moment ; puis, elle fit un dernier effort pour retirer sa main, et lorsqu'elle eut pris un papier cacheté, des gouttes de sueur tombèrent de son front.

– « Je vous confie mon testament, dit-elle. Ah ! mon Dieu ! Ah ! »

Ce fut tout. Elle saisit un crucifix qui était sur son lit, le porta rapidement à ses lèvres, et mourut. L'expression de ses yeux fixes me fait encore frissonner quand j'y songe. Elle avait dû bien souffrir ! Il y avait de la joie dans son dernier regard, sentiment qui resta gravé sur ses yeux morts. J'emportai le testament ; et, quand il fut ouvert, je vis que madame de Merret m'avait nommé son exécuteur testamentaire. Elle léguait la totalité de ses biens à l'hôpital de Vendôme, sauf quelques legs particuliers. Mais voici quelles furent ses dispositions relativement à la Grande Bretèche. Elle me recommanda de laisser cette maison pendant cinquante années révolues, à partir du jour de sa mort, dans l'état où elle se trouverait au moment de son décès, en interdisant l'entrée des appartements à quelque personne que ce fût, en défendant d'y faire la moindre réparation, et allouant même une rente afin de gager des gardiens, s'il en était besoin, pour assurer l'entière exécution de ses intentions. À l'expiration de ce terme, si le vœu de la testatrice a été accompli, la maison doit appartenir à mes héritiers, car monsieur sait que les notaires ne peuvent accepter de legs ; sinon, la Grande Bretèche reviendrait à qui de droit, mais à la charge de remplir les conditions indiquées dans un codicille annexé au testament, et qui ne doit être ouvert qu'à l'expiration desdites cinquante années. Le testament n'a point été attaqué, donc... À ce mot, et sans achever sa phrase, le notaire oblong me regarda d'un air de triomphe, je le rendis tout à fait heureux en lui adressant quelques compliments. – Monsieur, lui dis-je en terminant, vous m'avez si vivement impressionné, que je crois voir cette mourante plus pâle que ses draps ; ses yeux luisants me font peur ; et je rêverai d'elle cette nuit. Mais vous devez avoir formé quelques conjectures sur les dispositions contenues dans ce bizarre testament.

– Monsieur, me dit-il avec une réserve comique, je ne me

permets jamais de juger la conduite des personnes qui m'ont honoré par le don d'un diamant.

Je déliai bientôt la langue du scrupuleux notaire vendômois, qui me communiqua, non sans de longues digressions, les observations dues aux profonds politiques des deux sexes dont les arrêts font loi dans Vendôme. Mais ces observations étaient si contradictoires, si diffuses, que je faillis m'endormir, malgré l'intérêt que je prenais à cette histoire authentique. Le ton lourd et l'accent monotone de ce notaire, sans doute habitué à s'écouter lui-même et à se faire écouter de ses clients ou de ses compatriotes, triompha de ma curiosité. Heureusement il s'en alla.

– Ah ! ah ! monsieur, bien des gens, me dit-il dans l'escalier, voudraient vivre encore quarante-cinq ans ; mais, petit moment !

Et il mit, d'un air fin, l'index de sa main droite sur sa narine, comme s'il eût voulu dire : Faites bien attention à ceci ?

– Pour aller jusque-là, jusque-là, dit-il, il ne faut pas avoir la soixantaine. Je fermai ma porte, après avoir été tiré de mon apathie par ce dernier trait que le notaire trouva très spirituel ; puis, je m'assis dans mon fauteuil, en mettant mes pieds sur les deux chenets de ma cheminée. Je m'enfonçai dans un roman à la Radcliffe, bâti sur les données juridiques de monsieur Regnault, quand ma porte, manœuvrée par la main adroite d'une femme, tourna sur ses gonds. Je vis venir mon hôtesse, grosse femme réjouie, de belle humeur, qui avait manqué sa vocation : c'était une Flamande qui aurait dû naître dans un tableau de Teniers.

– Eh ! bien, monsieur ? me dit-elle. Monsieur Regnault vous a sans doute rabâché son histoire de la Grande Bretèche.

– Oui, mère Lepas.

– Que vous a-t-il dit ?

Je lui répétai en peu de mots la ténébreuse et froide histoire de madame Merret. À chaque phrase, mon hôtesse tendait le cou, en me regardant avec une perspicacité d'aubergiste, espèce de juste milieu entre l'instinct du gendarme, l'astuce de l'espion et la ruse du commerçant.

– Ma chère dame Lepas ! ajoutai-je en terminant, vous paraissez en savoir davantage. Hein ? Autrement, pourquoi seriez-vous montée chez moi ?

– Ah ! foi d'honnête femme, et aussi vrai que je m'appelle Lepas...

– Ne jurez pas, vos yeux sont gros d'un secret. Vous avez connu monsieur de Merret. Quel homme était-ce ?

– Dame, monsieur de Merret, voyez-vous, était un bel homme qu'on ne finissait pas de voir, tant il était long ! un digne gentilhomme venu de Picardie, et qui avait, comme nous disons ici, la tête près du bonnet. Il payait tout comptant pour n'avoir de difficultés avec personne. Voyez-vous, il était vif. Nos dames le trouvaient toutes fort aimable. – Parce qu'il était vif ! dis-je à mon hôtesse.

– Peut-être bien, dit-elle. Vous pensez bien, monsieur, qu'il fallait avoir eu quelque chose devant soi, comme on dit, pour épouser madame de Merret qui, sans vouloir nuire aux autres, était la plus belle et la plus riche personne du Vendômois. Elle avait aux environs de vingt mille livres de rente. Toute la ville assistait à sa noce. La mariée était mignonne et avenante, un vrai bijou de femme. Ah ! ils ont fait un beau couple dans le temps !

– Ont-ils été heureux en ménage ?

– Heu, heu ! oui et non, autant qu'on peut le présumer, car vous pensez bien que, nous autres, nous ne vivions pas à pot et à rôt avec eux ! Madame de Merret était une bonne femme, bien gentille, qui avait peut-être bien à souffrir quelquefois des vivacités de son mari ; mais quoiqu'un peu fier, nous l'aimions. Bah ! c'était son état à lui d'être comme ça ! Quand on est noble, voyez-vous... – Cependant il a bien fallu quelque catastrophe pour que monsieur et madame de Merret se séparassent violemment ?

– Je n'ai point dit qu'il y ait eu de catastrophe, monsieur. Je n'en sais rien. – Bien. Je suis sûr maintenant que vous savez tout.

– Eh ! bien, monsieur, je vais tout vous dire. En voyant monter chez vous monsieur Regnault, j'ai bien pensé qu'il vous parlerait de madame de Merret, à propos de la Grande Bretèche. Ça m'a donné l'idée de consulter monsieur, qui me paraît un homme de bon conseil et incapable de trahir une pauvre femme comme moi qui n'ai jamais fait de mal à personne, et qui se trouve cependant tourmentée par sa conscience. Jusqu'à présent, je n'ai point osé m'ouvrir aux gens de ce pays-ci, ce sont tous des bavards à langues d'acier. Enfin, monsieur, je n'ai pas encore eu de voyageur qui soit demeuré si longtemps que vous dans mon auberge, et auquel je pusse dire l'histoire des quinze mille francs...

– Ma chère dame Lepas ! lui répondis-je en arrêtant le flux de ses paroles, si votre confidence est de nature à me compromettre, pour tout au monde je ne voudrais pas en être chargé.

– Ne craignez rien, dit-elle en m'interrompant. Vous allez voir.

Cet empressement me fit croire que je n'étais pas le seul à qui ma bonne aubergiste eût communiqué le secret dont je devais être l'unique dépositaire, et j'écoutai.

– Monsieur, dit-elle, quand l'Empereur envoya ici des Espagnols prisonniers de guerre ou autres, j'eus à loger, au compte du gouvernement, un jeune Espagnol envoyé à Vendôme sur parole. Malgré la parole, il allait tous les jours se montrer au Sous-Préfet. C'était un Grand d'Espagne ! Excusez du peu ! Il portait un nom en *os* et en *dia*, comme Bagos de Férédia. J'ai son nom écrit sur mes registres ; vous pourrez le lire, si vous le voulez. Oh ! c'était un beau jeune homme pour un Espagnol qu'on dit tous laids. Il n'avait guère que cinq pieds deux ou trois pouces, mais il était bien fait ; il avait de petites mains qu'il soignait, ah ! fallait voir. Il avait autant de brosses pour ses mains qu'une femme en a pour toutes ses toilettes ! Il avait de grands cheveux noirs, un œil de feu, un teint un peu cuivré, mais qui me plaisait tout de même. Il portait du linge fin comme je n'en ai jamais vu à personne, quoique j'aie logé des princesses, et entre autres le général Bertrand, le duc et la duchesse d'Abrantès, monsieur Decazes et le roi d'Espagne. Il ne mangeait pas grand-chose ; mais il avait des manières si polies, si aimables, qu'on ne pouvait pas lui en vouloir. Oh ! je l'aimai beaucoup, quoiqu'il ne disait pas quatre paroles par jour et qu'il fût impossible d'avoir avec lui la moindre conversation ; si on lui parlait, il ne répondait pas : c'était un tic, une manie qu'ils ont tous, à ce qu'on m'a dit. Il lisait son bréviaire comme un prêtre, il allait à la messe et à tous les offices régulièrement. Où se mettait-il (nous avons remarqué cela plus tard) ? à deux pas de la chapelle de madame de Merret. Comme il se plaça là dès la première fois qu'il vint à l'église, personne n'imagina qu'il y eut de l'intention dans son fait. D'ailleurs, il ne levait pas le nez de dessus son livre de prières, le pauvre jeune homme ! Pour lors, monsieur, le soir il se promenait sur la montagne, dans les ruines du château. C'était son seul amusement à ce pauvre homme, il se rappelait là son pays. On dit que c'est tout montagnes en Espagne ! Dès les premiers jours de sa détention, il s'attarda. Je fus inquiète en ne le voyant revenir que sur le coup de minuit ; mais nous nous habituâmes tous à sa fantaisie ; il prit la clef de la porte, et nous ne l'attendîmes plus. Il logeait dans la maison que nous avons dans la rue des Casernes. Pour lors, un de nos valets d'écurie nous dit qu'un soir, en allant faire baigner les chevaux, il croyait avoir vu le Grand d'Espagne nageant au loin dans la rivière comme un vrai poisson. Quand il revint, je lui dis de prendre garde aux herbes ; il parut contrarié d'avoir été vu dans l'eau.

– Enfin, monsieur, un jour, ou plutôt un matin, nous ne le trouvâmes plus dans sa chambre, il n'était pas revenu. À force de fouiller partout, je vis un écrit dans le tiroir de sa table où il y avait cinquante pièces d'or espagnoles qu'on nomme des portugaises et qui valaient environ cinq mille francs ; puis des diamants pour dix mille francs dans une petite boîte cachetée. Son écrit disait donc qu'au cas où il ne reviendrait pas, il nous laissait cet argent et ces diamants, à la charge de fonder des messes pour remercier Dieu de son évasion et pour son salut. Dans ce temps-là, j'avais encore mon homme, qui courut à sa recherche. Et voilà le drôle de l'histoire ! il rapporta les habits de l'Espagnol qu'il découvrit sous une grosse pierre, dans une espèce de pilotis sur le bord de la rivière, du côté du château, à peu près en face de la Grande Bretèche. Mon mari était allé là si matin, que personne ne l'avait vu. Il brûla les habits après avoir lu la lettre, et nous avons déclaré, suivant le désir du comte Férédia, qu'il s'était évadé. Le Sous-Préfet mit toute la gendarmerie à ses trousses ; mais, brust ! on ne l'a point rattrapé. Lepas a cru que l'Espagnol s'était noyé. Moi, monsieur, je ne le pense point, je crois plutôt qu'il est pour quelque chose dans l'affaire de madame de Merret, vu que Rosalie m'a dit que le crucifix auquel sa maîtresse tenait tant qu'elle s'est fait ensevelir avec, était d'ébène et d'argent ; or, dans les premiers temps de son séjour, monsieur Férédia en avait un d'ébène et d'argent que je ne lui ai plus revu. Maintenant, monsieur, n'est-il pas vrai que je ne dois point avoir de remords des quinze mille francs de l'Espagnol, et qu'ils sont bien à moi ?

– Certainement. Mais vous n'avez pas essayé de questionner Rosalie ? lui dis-je.

– Oh ! si fait, monsieur. Que voulez-vous ! Cette fille-là, c'est un mur. Elle sait quelque chose ; mais il est impossible de la faire jaser. Après avoir encore causé pendant un moment avec moi, mon hôtesse me laissa en proie à des pensées vagues et ténébreuses, à une curiosité romanesque, à une terreur religieuse assez semblable au sentiment profond qui nous saisit quand nous entrons à la nuit dans une église sombre où nous apercevons une faible lumière lointaine sous des arceaux élevés ; une figure indécise glisse, un frottement de robe ou de soutane se fait entendre... nous avons frissonné. La Grande Bretèche et ses hautes herbes, ses fenêtres condamnées, ses ferrements rouillés, ses portes closes, ses appartements déserts, se montra tout à coup fantastiquement devant moi. J'essayai de pénétrer dans cette mystérieuse demeure en y cherchant le nœud de cette solennelle histoire, le drame qui avait tué trois personnes. Rosalie fut à mes yeux l'être le plus intéressant de Vendôme. Je découvris, en l'examinant, les traces d'une pensée intime, malgré la santé brillante qui éclatait sur son visage potelé. Il y avait chez elle un principe de remords ou d'espérance ; son attitude annonçait un secret, comme celle des dévotes qui prient avec excès ou celle de la fille infanticide qui entend toujours le dernier cri de son enfant. Sa pose était cependant naïve et grossière, son niais sourire n'avait rien de criminel, et vous l'eussiez jugée innocente, rien qu'à voir le grand mouchoir à carreaux rouges et bleus qui recouvrait son buste vigoureux, encadré, serré, ficelé par une robe à raies blanches et violettes.

– Non, pensais-je, je ne quitterai pas Vendôme sans savoir toute l'histoire de la Grande Bretèche. Pour arriver à mes fins, je deviendrai l'ami de Rosalie, s'il le faut absolument.

– Rosalie ! lui dis-je un soir.

– Plaît-il, monsieur ?

– Vous n'êtes pas mariée ? Elle tressaillit légèrement.

– Oh ! je ne manquerai point d'hommes quand la fantaisie d'être malheureuse me prendra ! dit-elle en riant.

Elle se remit promptement de son émotion intérieure, car toutes les femmes, depuis la grande dame jusqu'aux servantes d'auberge inclusivement, ont un sang-froid qui leur est particulier.

– Vous êtes assez fraîche, assez appétissante pour ne pas

manquer d'amoureux ! Mais, dites-moi, Rosalie, pourquoi vous êtes-vous faite servante d'auberge en quittant madame de Merret ? Est-ce qu'elle ne vous a pas laissé quelque rente ?

– Oh ! que si ! Mais, monsieur, ma place est la meilleure de tout Vendôme. Cette réponse était une de celles que les juges et les avoués nomment *dilatoires*. Rosalie me paraissait située dans cette histoire romanesque comme la case qui se trouve au milieu d'un damier ; elle était au centre même de l'intérêt et de la vérité ; elle me semblait nouée dans le nœud. Ce ne fut plus une séduction ordinaire à tenter, il y avait dans cette fille le dernier chapitre d'un roman ; aussi, dès ce moment, Rosalie devint-elle l'objet de ma prédilection. À force d'étudier cette fille, je remarquai chez elle, comme chez toutes les femmes de qui nous faisons notre pensée principale, une foule de qualités : elle était propre, soigneuse ; elle était belle, cela va sans dire ; elle eut bientôt tous les attraits que notre désir prête aux femmes, dans quelque situation qu'elles puissent être. Quinze jours après la visite du notaire, un soir, ou plutôt un matin, car il était de très bonne heure, je dis à Rosalie :

– Raconte-moi donc tout ce que tu sais sur madame de Merret ?

– Oh ! répondit-elle avec terreur, ne me demandez pas cela, monsieur Horace ! Sa belle figure se rembrunit, ses couleurs vives et animées pâlirent, et ses yeux n'eurent plus leur innocent éclat humide.

– Eh ! bien, reprit-elle, puisque vous le voulez, je vous le dirai ; mais gardez-moi bien le secret !

– Va ! ma pauvre fille, je garderai tous tes secrets avec une probité de voleur, c'est la plus loyale qui existe.

– Si cela vous est égal, me dit-elle, j'aime mieux que ce soit avec la vôtre. Là-dessus, elle ragréa son foulard, et se posa comme pour conter ; car il y a, certes, une attitude de confiance et de sécurité nécessaire pour faire un récit. Les meilleures narrations se disent à une certaine heure, comme nous sommes là tous à table. Personne n'a bien conté debout ou à jeun. Mais s'il fallait reproduire fidèlement la diffuse éloquence de Rosalie, un volume entier suffirait à peine. Or, comme l'événement dont elle me donna la confuse connaissance se trouve placé, entre le bavardage du notaire et celui de madame Lepas, aussi exactement que les moyens termes d'une proportion arithmétique le sont entre leurs deux extrêmes, je n'ai plus qu'à vous le dire en peu de mots. J'abrège donc. La chambre que madame de Merret occupait à la Bretèche était située au rez-de-chaussée. Un petit cabinet de quatre pieds de profondeur environ, pratiqué dans l'intérieur du mur, lui servait de garde-robe. Trois mois avant la soirée dont je vais vous raconter les faits, madame de Merret avait été assez sérieusement indisposée pour que son mari la laissât seule chez elle, et il couchait dans une chambre au premier étage. Par un de ces hasards impossibles à prévoir, il revint, ce soir-là, deux heures plus tard que de coutume du Cercle où il allait lire les journaux et causer politique avec les habitants du pays. Sa femme le croyait rentré, couché, endormi. Mais l'invasion de la France avait été l'objet d'une discussion fort animée ; la partie de billard s'était échauffée, il avait perdu quarante francs, somme énorme à Vendôme, où tout le monde thésaurise, et où les mœurs sont contenues dans les bornes d'une modestie digne d'éloges, qui peut-être devient la source d'un bonheur vrai dont ne se soucie aucun Parisien. Depuis quelque temps monsieur de Merret se contentait de demander à Rosalie si sa femme était couchée ; sur la réponse toujours affirmative de cette fille, il allait immédiatement chez lui, avec cette bonhomie qu'enfantent l'habitude et la confiance. En rentrant, il lui prit fantaisie de se rendre chez madame de Merret pour lui conter sa mésaventure, peut-être aussi pour s'en consoler. Pendant le dîner, il avait trouvé madame de Merret fort coquettement mise ; il se disait, en allant du Cercle chez lui, que sa femme ne souffrait plus, que sa convalescence l'avait embellie, et il s'en apercevait, comme les maris s'aperçoivent de tout, un peu tard. Au lieu d'appeler Rosalie qui dans ce moment était occupée dans la cuisine à voir la cuisinière et le cocher jouant un coup difficile de la brisque, monsieur de Merret se dirigea vers la chambre de sa femme, à la lueur de son falot qu'il avait déposé sur la première marche de l'escalier. Son pas facile à reconnaître retentissait sous les voûtes du corridor. Au moment où le gentilhomme tourna la clef de la chambre de sa femme, il crut entendre fermer la porte du cabinet dont je vous ai parlé ; mais, quand il entra, madame de Merret était seule, debout devant la cheminée. Le mari pensa naïvement en lui-même que Rosalie était dans le cabinet ; cependant un soupçon qui lui tinta dans l'oreille avec un bruit de cloches le mit en défiance ; il regarda sa femme, et lui trouva dans les yeux je ne sais quoi de trouble et de fauve.

– Vous rentrez bien tard, dit-elle. Cette voix ordinairement si pure et si gracieuse lui parut légèrement altérée. Monsieur de Merret ne répondit rien, car en ce moment Rosalie entra. Ce fut un coup de foudre pour lui. Il se promena dans la chambre, en allant d'une fenêtre à l'autre par un mouvement uniforme et les bras croisés.

– Avez-vous appris quelque chose de triste, ou souffrez-vous ? lui demanda timidement sa femme pendant que Rosalie la déshabillait. Il garda le silence.

– Retirez-vous, dit madame de Merret à sa femme de chambre, je mettrai mes papillotes moi-même. Elle devina quelque malheur au seul aspect de la figure de son mari et voulut être seule avec lui. Lorsque Rosalie fut partie, ou censée partie, car elle resta pendant quelques instants dans le corridor, monsieur de Merret vint se placer devant sa femme, et lui dit froidement :

– Madame, il y a quelqu'un dans votre cabinet ! Elle regarda son mari d'un air calme, et lui répondit avec simplicité :

– Non, monsieur. Ce non navra monsieur de Merret, il n'y croyait pas ; et pourtant jamais sa femme ne lui avait paru ni plus pure ni plus religieuse qu'elle semblait l'être en ce moment. Il se leva pour aller ouvrir le cabinet, madame de Merret le prit par la main, l'arrêta, le regarda d'un air mélancolique, et lui dit d'une voix singulièrement émue :

– Si vous ne trouvez personne, songez que tout sera fini entre nous ! L'incroyable dignité empreinte dans l'attitude de sa femme rendit au gentilhomme une profonde estime pour elle, et lui inspira une de ces résolutions auxquelles il ne manque qu'un plus vaste théâtre pour devenir immortelles.

– Non, dit-il, Joséphine, je n'irai pas. Dans l'un et l'autre cas, nous serions séparés à jamais. Écoute, je connais toute la pureté de ton âme, et sais que tu mènes une vie sainte, tu ne voudrais pas commettre un péché mortel aux dépens de ta vie. À ces mots, madame de Merret regarda son mari d'un œil hagard.

– Tiens, voici ton crucifix, ajouta cet homme. Jure-moi devant Dieu qu'il n'y a là personne, je te croirai, je n'ouvrirai jamais cette porte. Madame de Merret prit le crucifix et dit :

– Je le jure.

– Plus haut, dit le mari, et répète : Je jure devant Dieu qu'il n'y a personne dans ce cabinet. Elle répéta la phrase sans se troubler.

– C'est bien, dit froidement monsieur de Merret. Après un moment de silence :

– Vous avez une bien belle chose que je ne connaissais pas, dit-il en examinant ce crucifix en ébène incrusté d'argent, et très artistement sculpté.

– Je l'ai trouvé chez Duvivier, qui, lorsque cette troupe de prisonniers passa par Vendôme l'année dernière, l'avait acheté d'un religieux espagnol.

– Ah ! dit monsieur de Merret en remettant le crucifix au clou, et il sonna. Rosalie ne se fit pas attendre. Monsieur de Merret alla vivement à sa rencontre, l'emmena dans l'embrasure de la fenêtre qui donnait sur le jardin, et lui dit à voix basse :

– Je sais que Gorenflot veut t'épouser, la pauvreté seule vous empêche de vous mettre en ménage, et tu lui as dit que tu ne serais pas sa femme s'il ne trouvait moyen de se se rendre maître maçon... Eh ! bien, va le chercher, dis-lui de venir ici avec sa truelle et ses outils. Fais en sorte de n'éveiller que lui dans sa maison ; sa fortune passera vos désirs. Surtout sors d'ici sans jaser, sinon... Il fronça le sourcil. Rosalie partit, il la rappela.

– Tiens, prends mon passe-partout, dit-il.

– Jean ! cria monsieur de Merret d'une voix tonnante dans le corridor. Jean, qui était tout à la fois son cocher et son homme de confiance, quitta sa partie de brisque, et vint.

– Allez vous coucher tous, lui dit son maître en lui faisant signe de s'approcher ; et le gentilhomme ajouta, mais à voix basse :

– Lorsqu'ils seront tous endormis, *endormis*, entends-tu bien ? tu descendras m'en prévenir. Monsieur de Merret, qui n'avait par perdu de vue sa femme, tout en donnant ses ordres, revint tranquillement auprès d'elle devant le feu, et se mit à lui raconter les événements de la partie de billard et les discussions du Cercle. Lorsque Rosalie fut de retour, elle trouva monsieur et madame de Merret causant très amicalement. Le gentilhomme avait récemment fait plafonner toutes les pièces qui composaient son appartement de réception au rez-de-chaussée. Le plâtre est fort rare à Vendôme, le transport en augmente beaucoup le prix ; le gentilhomme en avait donc fait venir une assez grande quantité, sachant qu'il trouverait toujours bien des acheteurs pour ce qui lui resterait. Cette circonstance lui inspira le dessein qu'il mit à exécution. – Monsieur, Gorenflot est là, dit Rosalie à voix basse.

– Qu'il entre ! répondit tout haut le gentilhomme picard. Madame de Merret pâlit légèrement en voyant le maçon.

– Gorenflot, dit le mari, va prendre des briques sous la remise, et apportes-en assez pour murer la porte de ce cabinet ; tu te serviras du plâtre qui me reste pour enduire le mur. Puis attirant à lui Rosalie et l'ouvrier :

– Écoute, Gorenflot, dit-il à voix basse, tu coucheras ici cette nuit. Mais, demain matin, tu auras un passeport pour aller en pays étranger dans une ville que je t'indiquerai. Je te remettrai six mille francs pour ton voyage. Tu demeureras dix ans dans cette ville ; si tu ne t'y plaisais pas, tu pourrais t'établir dans une autre, pourvu que ce soit au même pays. Tu passeras par Paris, où tu m'attendras. Là, je t'assurerai par un contrat six autres mille francs qui te seront payés à ton retour au cas où tu aurais rempli les conditions de notre marché. À ce prix, tu devras garder le plus profond silence sur ce que tu auras fait ici cette nuit. Quant à toi, Rosalie, je te donnerai dix mille francs qui ne te seront comptés que le jour de tes noces, et à la condition d'épouser Gorenflot ; mais, pour vous marier, il faut se taire. Sinon, plus de dot. – Rosalie, dit madame de Merret, venez me coiffer. Le mari se promena tranquillement de long en large, en surveillant la porte, le maçon et sa femme, mais sans laisser paraître une défiance injurieuse. Gorenflot fut obligé de faire du bruit. Madame de Merret saisit un moment où l'ouvrier déchargeait des briques et où son mari se trouvait au bout de la chambre, pour dire à Rosalie : – Mille francs de rente pour toi, ma chère enfant, si tu peux dire à Gorenflot de laisser une crevasse en bas. Puis, tout haut, elle lui dit avec sang-froid : – Va donc l'aider ! Monsieur et madame de Merret restèrent silencieux pendant tout le temps que Gorenflot mit à murer la porte. Ce silence était calcul chez le mari, qui ne voulait pas fournir à sa femme le prétexte de jeter des paroles à double entente ; et chez madame de Merret ce fut prudence ou fierté. Quand le mur fut à la moitié de son élévation, le rusé maçon prit un moment où le gentilhomme avait le dos tourné pour donner un coup de pioche dans l'une des deux vitres de la porte. Cette action fit comprendre à madame de Merret que Rosalie avait parlé à

Gorenflot. Tous trois virent alors une figure d'homme sombre et brune, des cheveux noirs, un regard de feu. Avant que son mari ne se fût retourné, la pauvre femme eut le temps de faire un signe de tête à l'étranger pour qui ce signe voulait dire : – Espérez ! À quatre heures, vers le petit jour, car on était au mois de septembre, la construction fut achevée. Le maçon resta sous la garde de Jean, et monsieur de Merret coucha dans la chambre de sa femme. Le lendemain matin, en se levant, il dit avec insouciance :

– Ah ! diable, il faut que j'aille à la mairie pour le passeport. Il mit son chapeau sur sa tête, fit trois pas vers la porte, se ravisa, prit le crucifix. Sa femme tressaillit de bonheur.

– Il ira chez Duvivier, pensa-t-elle. Aussitôt que le gentilhomme fut sorti, madame de Merret sonna Rosalie ; puis, d'une voix terrible :

– La pioche ! la pioche ! s'écria-t-elle, et à l'ouvrage ! J'ai vu hier comment Gorenflot s'y prenait, nous aurons le temps de faire un trou et de le reboucher.

En un clin d'œil, Rosalie apporta une espèce de *merlin* à sa maîtresse, qui, avec une ardeur dont rien ne pourrait donner une idée, se mit à démolir le mur. Elle avait déjà fait sauter quelques briques, lorsqu'en prenant son élan pour appliquer un coup encore plus vigoureux que les autres, elle vit monsieur de Merret derrière elle ; elle s'évanouit.

– Mettez madame sur son lit, dit froidement le gentilhomme.

Prévoyant ce qui devait arriver pendant son absence, il avait tendu un piège à sa femme ; il avait tout bonnement écrit au maire, et envoyé chercher Duvivier. Le bijoutier arriva au moment où le désordre de l'appartement venait d'être réparé.

– Duvivier, lui demanda le gentilhomme, n'avez-vous pas acheté des crucifix aux Espagnols qui ont passé par ici ?

– Non, monsieur.

– Bien, je vous remercie, dit-il en échangeant avec sa femme un regard de tigre.

– Jean, ajouta-t-il en se tournant vers son valet de confiance, vous ferez servir mes repas dans la chambre de madame de Merret, elle est malade, et je ne la quitterai pas qu'elle ne soit rétablie.

Le cruel gentilhomme resta pendant vingt jours près de sa femme. Durant les premiers moments, quand il se faisait quelque bruit dans le cabinet muré et que Joséphine voulait l'implorer pour l'inconnu mourant, il lui répondait, sans lui permettre de dire un seul mot :

– Vous avez juré sur la croix qu'il n'y avait là personne.

Après ce récit, toutes les femmes se levèrent de table, et le charme sous lequel Bianchon les avait tenues fut dissipé par ce mouvement. Néanmoins quelques-unes d'entre elles avaient eu quasi froid en entendant le dernier mot.

Milton Keynes UK
Ingram Content Group UK Ltd.
UKHW051037220923
429186UK00009B/499